Las Lecturas ELI son una completa gama
de publicaciones para lectores de todas
las edades, que van desde apasionantes
historias actuales a los emocionantes
clásicos de siempre. Están divididas en
tres colecciones: Lecturas ELI Infantiles
y Juveniles, Lecturas ELI Adolescentes y
Lecturas ELI Jóvenes y Adultos. Además
de contar con un extraordinario esmero
editorial, son un sencillo instrumento
didáctico cuyo uso se entiende de forma
inmediata. Sus llamativas y artísticas
ilustraciones atraerán la atención de los
lectores y les acompañarán mientras
disfrutan leyendo.

Mary Flagan

El recuerdo egipcio

Actividades de Cristina Bartolomé Martinez
Ilustraciones de LibellulArt

Lecturas ELI Adolescentes

El recuerdo egipcio
Mary Flagan
Versión espanola de C; M. Acebron Tolosa
Actividades de Cristina Bartolomé Martínez
Ilustraciones de LibellulArt

ELI Readers
Ideación de la colección y coordinación editorial
Paola Accattoli, Grazia Ancillani, Daniele Garbuglia (Director de arte)

Layout
Romina Duranti

Director de producción
Francesco Capitano

Créditos fotográficos
Shutterstock

© 2010 ELI S.r.l
B.P. 6 - 62019 Recanati - Italia
Tel. +39 071 750701
Fax +39 071 977851
info@elionline.com
www.elionline.com

Fuente utilizada 13/18 puntos Monotipo Dante

Impreso en Italia por Tecnostampa Recanati
ERT218.01
ISBN 978-88-536-0558-0

Primera edición Febrero 2010

www.elireaders.com

Sumario

Estos iconos señalan las partes de la historia que han sido grabadas.

Empezar   **Parar** ◼

Personajes principales

Esteban

Sra. y
Sr. Rojas

Carmen

Vocabulario

1 Une las siguientes frases con el personaje que crees que las está diciendo:

A Enseño en el instituto donde estudian Carmen y Esteban.

B El profesor Blanco está enfermo, seré su sustituta.

E Nuestros hijos Carmen y Esteban van a vivir una emocionante aventura.

C ¡Me encanta resolver misterios como al detective Holmes!

D Ayudaré a mi hermana en esta aventura.

1 C Carmen, protagonista de la historia.

2 d Esteban, hermano de Carmen.

3 e Sra. y Sr. Rojas, los padres de Carmen y Esteban.

4 b Profesora Rivera, sustituta del profesor de Historia.

5 a Profesor Blanco, profesor de Historia.

Gramática

2 **Adivina qué está diciendo Carmen y completa el texto con las palabras del recuadro:**

también   en   mi   mejor   a   mayor   veces   mucho

¡Hola! Me llamo Carmen y tengo 14 años, estudio ..en.........
el instituto y ...mi... asignatura preferida es la Historia.
Mi ..mejor....... amiga se llama Val y mi hermano se llama
Esteban, es ..mayor.... que yo. Me gusta ....a.. mucho.. resolver
misterios y ..también. escribir. Muchas ..veces.. escribir mis
ideas me ayuda ...en........ descubrir el misterio.

3 **Une los elementos de las tres columnas y forma frases:**

Pensar	de	los faraones egipcios.
1 Vivir	a	mi hermana a resolver el misterio.
2 Viajar	con	ser una gran detective.
3 Ayudar	en	Egipto de vacaciones.
4 Soñar	en	cómo resolver el misterio.
5 Hablar	a	un barrio tranquilo.

Pensar en cómo resolver el misterio

1 Vivir en un barrio tranquilo

2 Viajar a Egipto de vacaciones

3 Ayudar a mi hermana a resolver el misterio

4 Soñar con ser una gran detective

5 Hablar de los Faraones egipcio

Capítulo 1

En el Museo Egipcio

17 de marzo
Un caso difícil

▶ 2 Éste es un caso* realmente difícil. Me gusta resolver*
misterios, pero esta vez no sé qué hacer. No puedo
llamar a Val, mi amiga íntima*, ni tampoco a mi
hermano Esteban. Val está en casa de su abuela y
Esteban... según él, el caso está ya resuelto*. Yo, en
cambio, creo que no. Quiero escribir la historia de
este difícil caso. Así, tal vez, conseguiré entenderlo.

caso misterio, historia extraña y poco clara
resolver encontrar la solución
amiga íntima la amiga preferida, la mejor amiga
está ya resuelto no es un misterio, tiene ya solución

Capítulo 1

11 de marzo

Visita al Museo Egipcio

Visito el Museo Egipcio con mi clase y con el profesor Blanco, nuestro profesor de Historia. El museo es precioso, pero hay poca gente: ¡en la sala de los faraones* hay sólo tres personas!

En esta sala hay objetos preciosos. Yo miro todo con mucha atención y... ¡no me lo puedo creer! Veo un escarabajo precioso, de piedra negra, casi igual al del escritorio de mi padre.

–¡Yo también lo tengo! Yo también lo tengo! –grito.

–¿El qué? –me pregunta el profesor.

–¡Ese escarabajo negro! –contesto, roja de vergüenza*.

–Mis padres lo han comprado en Egipto. Bueno, no es completamente igual... el mío tiene un bulto* pequeño sobre un ojo y se ilumina en la oscuridad.

sala de los faraones una sala grande con los objetos de los faraones, los antiguos reyes de Egipto
roja de vergüenza con la cara roja por incomodidad y timidez
bulto con la piel un poco hinchada, ver la ilustración

–¡Por supuesto que⋆ no es completamente igual! El tuyo no es más que⋆ un recuerdo, un amuleto⋆, no es antiguo! –dice Pablo.

Mis compañeros se ríen y yo me pongo aún más roja. Roja como un tomate. ¡La verdad es que Pablo es con frecuencia antipático!

por supuesto que: claro que
no es más que: es solamente
un amuleto: un objeto que, según dicen, trae suerte

12 de marzo

¿Qué he hecho?

Durante la clase de educación física, el director* me llama a su despacho.

–Carmen Rojas, ¿qué hiciste ayer en el museo egipcio?

–Nada, señor director, no hice nada.

–El director del museo me ha llamado por teléfono. ¿Así que...?

–Pero... si yo sólo grité... ¡sólo grité un poquito!

El director está enfadado y dice que está prohibido* gritar en los museos. Aunque, afortunadamente, no me castiga*.

director/a la persona que dirige un instituto, una escuela o un museo
estar prohibido no estar permitido, no se puede
castigar corregir una actitud cuando alguien se porta mal

12 de marzo
Por la tarde

Es por la tarde, estoy en mi habitación. De repente*, papá grita:

—¡Carmen, Carmen, ven aquí inmediatamente! ¡Ahora mismo!

Está enfadado. ¿Qué más he hecho? Entro en su despacho* y me dice:

—Carmen, ¡no se puede jugar en mi despacho! Te lo he dicho un montón de veces!

En el escritorio de papá hay un desorden tremendo*. No es culpa mía, no he estado jugando en su despacho, pero él no me cree. ¿Por qué, cada vez que hay un problema, es culpa mía?

de repente inesperadamente
despacho habitación de la casa en la que se trabaja
un desorden tremendo mucho desorden

13 de marzo
La suplente de Historia

El director entra en clase con una chica joven:

–Chicos, el profesor Blanco está enfermo. Os presento a la profesora Rivera, vuestra suplente* de Historia. Os lo pido por favor, ¡portaos bien*!

La suplente es joven y guapísima:

–Bueno, chicos. Sé que estáis trabajando sobre los Egipcios. ¿Tenéis algún objeto egipcio en casa?

–Yo tengo una botella con arena del desierto –dice Ana.

–¡Carmen tiene un escarabajo! –grita Val.

–Estupendo –dice la suplente–.Traed mañana vuestros objetos y daremos una clase especial, sin libros. Me encanta la nueva maestra, tiene muy buenas ideas.

---

suplente cuando un profesor se pone enfermo, el suplente da la clase en su lugar
portarse bien ser bueno, tener buena actitud

13 de marzo
La limusina negra*

Vuelvo a casa después de clase y veo una limusina·
negra parada en la puerta de casa.

    Las ventanillas son oscuras, pero por dentro
veo al conductor y a dos personas sentadas.

    ¡Nunca he visto una limusina en mi barrio★! ▪

limusina tipo de coche norteamericano
barrio una zona de la ciudad

Gramática

1 **Completa con el verbo ESTAR o con el verbo HABER (HAY):**

En la sala del museo ...._hay_..... poca gente.

1 Encima de la mesa ...._está_..... el escarabajo de Carmen.

2 ¿Dónde _estás_..... el profesor Blanco?

3 En el despacho del padre de Carmen ...._hay_ mucho desorden.

4 Todos los objetos egipcios _están_.... en los casilleros.

5 No .._hay_........ nadie en la clase de Historia.

6 .._hay_........ una limusina negra aparcada delante de casa.

Vocabulario

2 **Completa estos globos con los adjetivos del cuadro y añade tú dos más.**

emocionante	negro	aburrido	~~pequeño~~
	desagradable	interesante	

negro ✓
feo
desagradable
aburrido

escarabajo

libro

pequeño
repugnante
emocionante
interesante

DELE-Lectura

3 **Contesta estas preguntas sobre el texto:**

Carmen no puede llamar a su amiga Val porque...

a ☐ No tiene su número de teléfono.

b ☑ Val está en casa de su abuela.

c ☐ Están enfadadas.

d ☐ No sabe dónde está.

1 Carmen visita con su clase y su profesor...

a ☐ el Museo de Historia Antigua.

b ☐ el Jardín Botánico

c ☑ el Museo Egipcio.

d ☐ no visitan nada.

2 El director llama a Carmen a su despacho porque ella

a ☑ ha gritado en el Museo Egipcio

b ☐ ha roto una pieza del Museo Egipcio

c ☐ ha suspendido el examen de Historia

d ☐ ha gritado en la clase de Educación Física

3 El padre de Carmen está enfadado porque...

a ☐ su despacho está sucio

b ☑ su despacho está desordenado

c ☐ Carmen no ha hecho los deberes

d ☐ Carmen ha gritado en el museo

4 La suplente de historia les dice que tienen que llevar a clase...

a ☐ Objetos históricos

b ☐ Recuerdos de viajes

c ☑ Objetos egipcios

d ☐ Los deberes hechos.

Actividad de Pre Lectura

Comprensión auditiva

▶ 3 **4 Escucha el principio del capítulo 2 y contesta las siguientes preguntas:**

¿El escarabajo de Carmen es el único de la clase?
No hay muchos, pero el suyo es diferente de los demás

1 ¿Por qué su escarabajo es especial?
El escarabajo de Carmen tiene una bulto en la cabeza

2 ¿Qué hace Carmen después de la escuela?
....

3 ¿Quién baja de la limusina negra?
Carmen vee al conductor y dos personas

19

Capítulo 2

El amuleto

14 de marzo
¡El más feo de todos!

▶ 3 Llevo mi escarabajo a clase y descubro que muchos de mis compañeros tienen un escarabajo.

Los escarabajos de mis compañeros son de colores. El mío, en cambio, es negro y tiene un bulto encima de un ojo. ¡Es el más feo de todos!

La clase es muy interesante y, al final, la profesora Rivera nos dice que dejemos nuestros objetos en los casilleros para la clase del día siguiente.

14 de marzo
Mediodía

Al mediodía me doy una vuelta en bicicleta*. En el centro veo otra vez la limusina negra.

¡Voy a seguirla! El conductor se detiene delante de un supermercado, se baja y abre la puerta posterior*.

me doy una vuelta en bicicleta cojo la bicicleta y me voy a pasear
posterior de atrás

Una señora elegantísima se baja del coche. Pero...
yo conozco a esa señora, se parece a alguien... no,
¡es imposible!

La señora entra en una tienda y poco después
sale con una bolsa de plástico. Después vuelve a
subir al coche y la limusina parte a toda marcha.

Pedaleo a toda velocidad*, pero el coche es más
veloz que yo. ¡Ay! Está muy lejos.

a toda velocidad muy velozmente

Capítulo 2

15 de marzo
¿Dónde está mi escarabajo?

▶ 4 La profesora Rivera nos dice que vayamos a los casilleros a por nuestros objetos. Abro mi casillero y descubro que mi escarabajo no está.

–¡Mi escarabajo! –grito–. ¡No está aquí!

–Es tan feo que se ha escapado de la vergüenza que le daba –dice el antipático de Pablo.

Todos se están riendo. Así que me dirijo* a la profesora.

–Profesora –digo–, mi escarabajo, el del bulto, no está.

–¿Un escarabajo con un bulto? –la profesora se está riendo también–. ¡Yo no recuerdo ningún escarabajo con un bulto!

¡Estoy enfadadísima! ¡La profesora Rivera miente*! ¿Por qué? Ayer vio el escarabajo, lo tuvo en sus manos*, lo miró atentamente y ahora... ¿por qué miente?

me dirijo voy hacia la profesora para hablar con ella
miente no dice la verdad
lo tuvo en sus manos lo cogió con la mano y lo miró

24

15 de marzo
Por la noche

No puedo dormir. Pienso en mi escarabajo y en la mentira de la profesora Rivera... ¡La profesora Rivera! Es a ella a quien se parece la señora de la limusina negra: ¡a la profesora Rivera!

Entonces... ¡a lo mejor la limusina tiene algo que ver* con la profesora Rivera y con mi escarabajo! Y el desorden en el escritorio de papá... ¡Claro, estaban buscando el escarabajo!

Val dice que soy demasiado suspicaz*, que veo misterios donde no los hay. Pero esta vez sí que existe un misterio. Mañana después de clase pienso transformarme en "Carmen Holmes". ¡Voy a resolver este misterio!

Tengo sueño pero, antes de apagar la luz, voy a hacer la lista de todas las cosas que necesito para mi investigación:

---

tiene algo que ver está relacionado
soy demasiado suspicaz pienso que hay siempre misterios bajo las apariencias de las cosas

Disfraz*: = costume / disguise
- Gorra de béisbol de mi hermano.
- Gafas de sol de mamá.

Objetos necesarios:
- Prismáticos* de papá.
- Máquina de fotos.
- Grabadora.

Plan de acción*:

1 Encontrar la limusina negra.

2 Descubrir de quién es.

3 ¿?

No sé todavía cuál es el punto tres... Ahora, más vale dormir.

disfraz vestidos y cosas que ocultan la cara y el cuerpo
prismáticos instrumento óptico para aumentar las imágenes. Se utiliza para ver de lejos
plan de acción las cosas que quiero hacer

DELE-Lectura

1 **Completa las frases que aparecen a continuación con información del texto:**

Los escarabajos de los compañeros de clase de Carmen son ...*de colores*...........

1 Carmen sigue con su bicicleta a una *tienda*...............

2 La limusina parte a toda *marcha*..............

3 Al día siguiente Carmen no encuentra su escarabajo *en su casillero*...........

4 Carmen necesita un disfraz y se pone *gorra de béisbol*........... de su hermano.

5 Antes de dormir, Carmen prepara un ...*disfaz*............... para el día siguiente.

Vocabulario

2 **Busca el superlativo de los siguientes adjetivos:**

guapa — *guapísima*

bueno — *mejor buenísima*

interesante — *atentamente*

malo — *peor antipático*

largo *larguísimas* — *extendido*

feo — *muy desagradable*

rápido — *velozmente*

aburrido — *aburridísimas*

3 Relaciona los elementos de las columnas y descubre qué necesitas para cada asignatura:

1 $\boxed{d}$ chándal   *a* Ciencias
2 $\boxed{e}$ regla y escuadra   *b* Español
3 $\boxed{f}$ calculadora   *c* Historia
4 $\boxed{b}$ diccionario   *d* Educación Física
5 $\boxed{a}$ microscopio   *e* Dibujo Lineal
6 $\boxed{c}$ libro sobre Egipto   *f* Matemáticas

Nefertres (handwritten)

4 Encuentra en el cuadro 17 palabras. Las letras que quedan te darán el nome de una reina egipcia, "por la que brilla el Sol". *Nefertari* (handwritten)

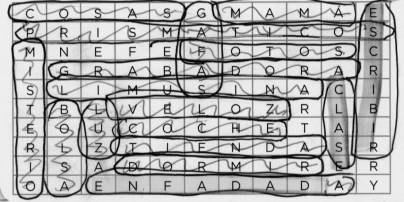

NEFERYRTA (handwritten)

Expresión escrita y Predicciones

5 Escribe en 3 frases qué crees que hará Carmen en el siguiente capítulo ¡utiliza el futuro imperfecto:

Carmen encontrará la limusina negra

1 Carmen encontrara su escarabajo
2 ¿Estaban visita Carmen?
3 Profesor Blanco vuelve al clase

Capítulo 3

La limusina negra

16 de marzo
Comienza la investigación

▶ 5 Me despierto temprano [early]. Preparo la mochila* y me voy al instituto. Las clases son larguísimas y aburridísimas; yo pienso sólo en mi investigación. Por fin se terminan las clases.

Salgo corriendo*, me monto en la bicicleta y salgo por el portón del instituto. Me pongo la gorra de béisbol de Esteban y las gafas de mamá. Tengo que encontrar la limusina y descubrir quiénes son esas personas.

[limo next to hotel Torres]

Ahí está, la limusina está aparcada* delante del hotel Torres. ¡Oh, no, se marcha! Afortunadamente el conductor conduce lentamente y puedo seguirlo. El coche se detiene [stops] delante de una ferretería*. El conductor entra y, un poco más tarde, sale con una caja grande. [big box]

Mete la caja en el coche, y se pone en marcha

preparo la mochila meto en la mochila
salgo corriendo salgo velozmente
está aparcada está, se ha detenido [= is parked]
ferretería tienda donde se venden clavos, martillos y otras herramientas [= hardware store]

30

de nuevo. Luego el coche se detiene delante de un supermercado. Super market

La señora se baja del coche, entra en el supermercado y, al cabo de cinco minutos, sale con dos bolsas de plástico. El conductor mete las bolsas en el coche y se pone en marcha de nuevo.

Finalmente, el coche se detiene delante de la casa del profesor Blanco. Los dos hombres y la mujer se bajan del coche y entran en la casa. Pero... ¿por qué entran esas personas en la casa del profesor? No puedo acercarme: es de día y pueden verme. Decido irme a casa y volver aquí esta tarde.

16 de marzo – 18.30 horas

La espera

Estoy en mi habitación. Pronto oscurecerá*, volveré a casa del profesor Blanco y descubriré quiénes son esas personas. Sí, tengo que continuar con mi investigación, estoy segura de que la solución está cerca. ¡El problema es que tengo miedo!

[handwritten: She went back to the house to see who it was]

[handwritten: She is scared]

Tengo que hablar con Esteban. Sí, le pediré a Esteban que venga conmigo. Él tiene 17 años y no tiene miedo... Ha sido difícil, pero por fin he convencido* a Esteban para que venga conmigo.

[handwritten: it was hard to convince him but he went]

16 de marzo – 20.30 horas

Salimos. Esteban les dice a mamá y papá que va a por un libro de geografía a casa de un amigo y que me voy con él. Papá y mamá nos miran atónitos*: Esteban y yo no salimos jamás juntos. Pero no dicen nada y dejan que nos marchemos.

[handwritten: Amazed]
[handwritten: we never go out together]

oscurecerá: se hará de noche
he convencido: he logrado que venga
atónitos: maravillados, con sorpresa

16 de marzo – 20.45 horas

Estamos frente a la casa del profesor Blanco. La limusina se ha ido. Nos subimos a un árbol para poder ver dentro de la casa y vemos al profesor de Historia atado y amordazado*. Nos quedamos un momento en silencio, luego Estaban dice:

–Tenemos que telefonear a la policía.

Sin embargo, Esteban no llama a la policía, llama a los bomberos. fire fighters

–Ayuda, por favor, ayúdenme –grita en el telefóno, desesperado*.

–¿Qué sucede? –pregunta una voz al otro lado.

–¡Mi hermana de cinco años se ha encerrado en casa! Mis padres no están y yo no puedo abrir la puerta! –miente Esteban.

---

amordazado con un pañuelo en la boca, para que no grite. Ver la ilustración, pág. 37

desesperado muy asustado

–Tranquilízate, tranquilízate, ¿dónde vives?

–Vivo en Rosales, 22.

–¡Enseguida estamos allí!

–Sí, pero vengan sin sirena★ o mi hermana se asustará★.

–Vale, chico, no te preocupes.

Esteban cuelga★. Ahora, a esperar...

sirena aparato que, colocado en el coche de la policía o los bomberos, hace mucho ruido
se asustará tendrá miedo
cuelga termina la conversación telefónica

Gramática

1 **¿Que ha hecho Carmen en el capítulo 3? Utiliza los elementos que te damos para construir frases. Recuerda que debes utilizar el Pretérito Perfecto.**

Preparar/su equipo/detective.
Ha preparado su equipo de detective

1 Seguir/a la limusina/por toda la ciudad.
Carmen sigue a la limusina por toda la ciudad

2 Convencer/Esteban/para ayudarla.
Carmen convenció Esteban para ayudarla

3 Subir/a un árbol/con Esteban.
Carmen subió a un árbol con Esteban

4 Descubrir/qué /suceder/profesor Blanco.
Carmen y Esteban qué sucedieron profesor Blanco

5 Salvar/al profesor Blanco
Carmen y Esteban salvaron al profesor Blanco

2 **Aquí hay algunas cosas que los protagonistas de la historia deberían hacer. Dales consejos utilizando la forma TENER QUE + Infinitivo.**

Carmen *tiene que* avisar a la policía.

1 Esteban (ayudar) *tiene que* a su hermana.

2 Carmen y Esteban (esconderse) *tenemos que*

3 Bomberos (salvar) *tienen que* al profesor Blanco.

4 Padres de Carmen (no castigar) *tienen que* a sus hijos.

tengo que = have to

DELE-Comprensión Auditiva

▶ 6 **3 Escucha el principio del capítulo siguiente y contesta a las preguntas:**

Esteban y Carmen vuelven...
a ☐ a su casa
b ☑ a casa del profesor Blanco
c ☐ al coche
d ☐ al instituto

① Esteban y Carmen se esconden...
a ☐ detrás de un coche
b ☐ delante de un coche
c ☐ detrás de un árbol
d ☒ no se esconden

2 El jefe de bomberos se llama...
a ☐ Sr. Martínez
b ☐ Sr. Bombero
c ☒ Sr. Ramírez
d ☐ Sr. García

3 Esteban cuenta a los bomberos...
a ☒ una mentira
b ☐ una historia fantástica
c ☐ toda la verdad
d ☐ no les cuenta nada

4 Encuentran al profesor Blanco...
a ☐ en la terraza
b ☐ en la sala
c ☐ en la cocina
d ☒ en el dormitorio

5 Esteban y Carmen
a ☐ se lo cuentan todo a sus padres
b ☒ no se lo cuentan a sus padres
c ☐ se lo cuentan al director del instituto
d ☐ se lo cuentan a todo el mundo

39

Capítulo 4

Resolviendo enigmas

16 de marzo – 21.05 horas

▶ 6 Esteban y yo volvemos a casa del profesor Blanco
y nos escondemos detrás de un coche. A los pocos
minutos llegan los bomberos. Mi hermano y yo
nos dirigimos a ellos.

   –Soy el jefe* de bomberos Ramírez. ¿Eres tú
el que ha llamado? –le pregunta un bombero a
Esteban.

   –Sí, señor –responde Esteban.

   –Y la casa, ¿es ésa? –le sigue preguntando.

   –Sí, sí es ésa, pero...

   Esteban les cuenta todo.

El jefe de bomberos se dirige a la casa. Esteban se
va con él.

   El profesor Blanco está en la cocina, atado y

jefe persona al mando

40

amordazado. Los bomberos entran y lo liberan. Poco después llega una ambulancia* y también la policía. Los enfermeros* se llevan al profesor Blanco al hospital. Está asustado y no se encuentra bien.

El jefe de bomberos le pide a Esteban que le cuente todo de nuevo, y luego nos manda a casa. Esteban me dice que no diga ni una palabra* a papá y a mamá. ¡Estoy de acuerdo! ⬛

ambulancia coche especial que lleva a los enfermos al hospital
enfermeros personas que cuidan a los enfermos, junto con los médicos
ni una palabra nada

Capítulo 4

17 de marzo
Un despertar repentino

▶ 7 Me despierto de repente*. Papá está gritando:
–Esteban, Esteban, despiértate. ¡Ven a la cocina inmediatamente!

Yo también voy. Esteban y yo entramos juntos a la cocina. Papá y mamá están de pie y contemplan juntos el periódico abierto encima de la mesa. Están muy enfadados.

–¿Dónde estuviste ayer por la tarde? ¿Dónde te llevaste a Carmen?

–¿Por qué?

–¡Mira el porqué! ¡Mira el periódico de hoy!

Esteban y yo nos aproximamos a la mesa. En el periódico aparece este artículo:

de repente repentinamente, con sobresalto

MUCHACHO DE 17 AÑOS
DESCUBRE UN RAPTO

Esteban Rojas, un valiente muchacho de 17 años, ha descubierto un rapto*. La policía ha arrestado* a los malhechores*, dos hombres y una mujer, en el hotel Torres. La mujer, Rita Rivera, de 25 años de edad, es la suplente del profesor Blanco en el Instituto Federico Muelas.

El profesor se recupera* en el hospital y desconoce el motivo* del rapto.

En la habitación del hotel Torres la policía ha descubierto un papiro, robado del museo de El Cairo.

rapto secuestro, cuando alguien se lleva a otra persona contra su voluntad
ha arrestado lleva a la cárcel
malhechores criminales, personas deshonestas
se recupera está en el hospital para ponerse mejor
motivo causa, razón

Leo el artículo en voz alta. Estoy enfadadísima. ¡YO he descubierto el rapto, no Esteban!

¡Qué coraje*!

courage

Qué coraje que rabia, que enfado

17 de marzo

¡EUREKA*!

En el instituto todo el mundo habla de Esteban y me dicen:

    –¡Tu hermano es un héroe*!

    Cada vez me enfado más. Descubro yo el rapto y él se convierte en el héroe. ¡No es justo!

En el recreo paso por el tablón de anuncios* donde está la página del periódico con la foto de mi hermano y tengo de repente una idea: ¡el papiro!

    Me acerco al periódico y miro atentamente la foto del papiro. ¡Eureka! ¡Ahora entiendo todo! ¡Mi escarabajo es la clave* para resolver el caso!

eureka palabra griega, que significa "lo he encontrado"
héroe persona muy valiente
tablón de anuncios objeto de mobiliario, pequeño, de cristal o madera, colgado de la pared.
clave lo más importante

17 de marzo
¿Y ahora?

Sé cómo resolver el caso, pero no sé qué hacer, necesito ayuda. Tal vez debo decírselo a mamá. Sí, mamá entenderá todo y me ayudará. A las seis vuelve de la oficina a casa.

La esperaré en el jardín.

Gramática

1 **Completa con la forma correcta del futuro imperfecto.**

Carmen (descubrir) *descubrirá* el misterio.

1 Carmen (tener que) *tiene que* pedir ayuda a su madre.

2 La madre de Carmen (ayudar) *ayudó* a su hija a resolver el caso.

3 El profesor Blanco (recuperarse) *se recuperó* pronto.

4 El papiro robado (regresar) *regreso* al Museo del Cairo.

5 Si descubre el misterio del escarabajo, también Carmen (ser) *es/fue* famosa.

6 El periódico (publicar) *publico* la noticia en primera página.

2 **Marca la forma verbal (Pretérito Perfecto o Pretérito Indefinido) más adecuada:**

Esta mañana el periódico (ha publicado)/publicó la noticia de que ayer Esteban Rojas (1) ha (descubierto)/descubrió el rapto del profesor Blanco. El joven (2) ha (avisado)/avisó a la policía a las 12 de la noche y esta madrugada (3) han (arrestado)/arrestaron a todos los secuestradores. A primera hora, Esteban (4) ha (declarado)/declaró que cuando (5) ha (visto)/vio al profesor Blanco amordazado en su casa (6) ha (llamado)/llamó rápidamente a la policía.

DELE-Lectura

3 Lee estos titulares de periódico y relaciona cada uno con la noticia correspondiente:

a *Grandes ofertas en Almacenes Pita*

b DETENIDO EL LADRÓN DEL GUANTE BLANCO

c Nueva escultura importantísima llega al Museo Moderno

d Secuestro en el Banco Central

e *Las aulas de los Institutos cierran hasta septiembre*

f DISFRUTA LA MÚSICA DE VIVALDI EN EL AUDITORIO

1 [a] Los almacenes Pita venderán todo al 50% la semana que viene.

2 [e] Ha finalizado el curso escolar en los Institutos españoles, los alumnos regresarán a las aulas en septiembre.

3 [f] Esta noche concierto en el Auditorio Municipal, la orquesta interpretará *Las 4 estaciones* de Vivaldi.

4 [b] El famoso ladrón de cuadros que dejaba un guante blanco como marca, ha sido detenido.

5 [c] El Museo Moderno de la ciudad exhibe durante este mes la escultura más famosa del artista Milo Moneo.

6 [d] Unos atracadores entraron ayer en el Banco Central para robar y secuestraron durante 4 horas a todo el mundo. Nadie resultó herido y la policía detuvo a los secuestradores.

Capítulo 5

El escarabajo

▶ 8 Mamá ha decidido ayudarme, aunque está un poco enfadada conmigo. Vamos al Hotel Torres.

La señora Rosa, la dueña* del hotel, es amiga de mamá. Nos deja entrar* a la habitación de los malhechores.

–La policía ha estado aquí ya, ¿qué buscáis? –nos pregunta Rosa.

–La verdad... no lo sé –contesto.

Mamá y yo buscamos por todas partes pero no encontramos nada. Yo tengo las manos muy sucias y voy al baño a lavármelas. Pero, ¿por qué no baja el agua por el desagüe* del lavabo?

Miro atentamente y... ¡oh! ¡El escarabajo con el bulto está ahí, en el desagüe! ¡Por eso se fueron a la

---

dueña propietaria, que posee
nos deja entrar nos permite entrar
desagüe la tubería del lavabo, por donde baja el agua

ferretería! ¡Para desmontar* el desagüe y esconder el escarabajo!

Mamá llama a la señora Rosa. La señora Rosa llama a un botones*, y sacamos por fin nuestro recuerdo egipcio. Mamá me acompaña a casa, luego se va a la estación de policía.

desmontar abrir, dividir en trozos
botones muchacho que trabaja en el hotel

18 de marzo
Yo también soy una heroína

Esta mañana, mamá me llama para desayunar. Cuando bajo señala el periódico que está encima de la mesa y dice:

–¡Lee! ¡Hay un artículo en el periódico que habla de mí!

UNA MUCHACHITA AYUDA A LA POLICÍA A RESOLVER UN MISTERIO

Carmen Rojas, una muchachita de 14 años, ayuda a la policía a resolver el misterio del rapto del profesor Blanco. ¡La clave del misterio es un escarabajo con un bulto! Durante la noche, una prolongada correspondencia por Internet entre la policía española y la egipcia ha revelado que ese pequeño escarabajo es valiosísimo. Es la llave para abrir la sala de juegos de la hija del faraón en la antigua pirámide de Mykos. Las autoridades de El Cairo han propuesto el hermanamiento* entre las dos ciudades.

hermanamiento unión entre dos ciudades

19 de marzo

Correo

¡Esta mañana hemos recibido una carta de El Cairo! Mamá y papá me han dicho que la abra. ¡Qué emoción! ¡A saber qué dice!

Querida familia Rojas:
El director del museo nacional de El Cairo y las autoridades municipales* están agradecidas* a la señorita Carmen Rojas por haber descubierto la clave que abre al mundo* otro lugar de la historia del antiguo Egipto. Invitamos a la familia Rojas a pasar dos semanas en nuestro país.

¡Esto sí que es una recompensa*!

municipales de la ciudad
están agradecidas quieren dar las gracias
que abre al mundo que permite ver
recompensa premio

DELE-Lectura

1 Lee el resumen del capítulo y completa con la palabra adecuada:

Carmen y su madre van (0)......*al*......... hotel Torres y la
señora Rosa, que es amiga de la madre de Carmen, las
deja (1)....B........... a la habitación de los malhechores.
(2)....A........... no encuentran nada sospechoso, pero cuando
Carmen va al baño a lavarse las manos se (3).....D.C..... de
que su escarabajo del bulto está escondido en el desagüe.
Consiguen recuperarlo (4)....A.C..... la ayuda de un botones
y la madre de Carmen lo lleva a la comisaría de policía.
El escarabajo resulta (5)......B.A.. la llave que abre la sala
de juegos de la hija del faraón en una antigua pirámide.
(6)....D....... los periódicos hablan (7)....B.A..... de Carmen y
las autoridades del Cairo (8)....A........... a toda la familia Rojas a
pasar (9).....B........... unas vacaciones.

A a	**B** en	**C** al	**D** el
1 A salir	**1 B** entrar	**1 C** llegar	**1 D** ir
2 A al principio	**2 B** entonces	**2 C** principio	**2 D** después
3 A realiza	**3 B** ve	**3 C** da cuenta	**3 D** descubre
4 A por	**4 B** para	**4 C** sin	**4 D** con
5 A ser	**5 B** estar	**5 C** tener	**5 D** acabar
6 A todo	**6 B** muchos	**6 C** ningunos	**6 D** todos
7 A bien	**7 B** bueno	**7 C** mejor	**7 D** malo
8 A ofrecen	**8 B** regalan	**8 C** envidian	**8 D** invitan
9 A aquí	**9 B** ahí	**9 C** a ello	**9 D** allí

Vocabulario

2 Marca con un círculo la palabra de la serie que es diferente.

matemáticas, historia, educación física, (patinar)

1 recuerdo, policía, bombero, enfermero
2 gafas de sol, gorra, patines, cazadora
3 misterio, enigma, caso, (fiesta)
4 director, (amigo) profesor, estudiante
5 museo, exposición, (cámara de fotos), muestra

Gramática

3 Utiliza el imperativo afirmativo/negativo de los verbos del recuadro en estas frases:

~~venir~~	tomar	beber	estudiar	salir	hablar

............*Ven*............ aquí! necesito tu ayuda

1 Si te duele la cabeza, ... una medicina.
2 No .... el café, todavía está muy caliente.
3 .... mucho para tu examen de mañana.
4 Si llueve .... sin paraguas.
5 .... con la profesora si no entiendes el ejercicio.

Interacción oral

4 En parejas, decidid un lugar para ir de vacaciones. Cada uno de vosotros tiene que decir qué cosas le gustan de su lugar preferido y convencer a su compañero.

Yo quiero ir a Mallorca porque me gustan la playa y el sol y porque...

Yo quiero voy a ~~San Francisco~~ California porque hay muchas ~~cosas~~ activides divertido, como, el ~~wacomi~~ walk of fame y el hollywood sign.

57

Pirámides... en España

Islas Canarias

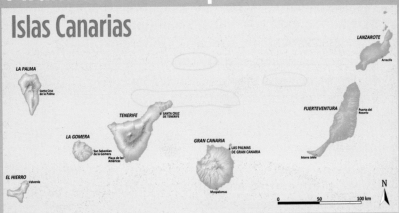

¿Conoces las Islas Canarias? Son un archipiélago de 7 islas: Gran Canaria, Tenerife, Fuerteventura, Lanzarote, La Palma, La Gomera y El Hierro. Cada isla es diametralmente diversa a las otras y sus paisajes evocan rincones de todas las regiones del planeta. Las islas pertenecen a España y se encuentran delante de las costas del sur de Marruecos, en África. Tenerife ese la mayor isla del archipiélago. Está atravesada por una cordillera, en cuyo centro se eleva una formación volcánica. A 3.718 metros sobre el mar, se alza el Pico del volcan Teide. La isla de Tenerife esconde un extraño misterio: las pirámides de Güímar.

Pico del Teide

Un misterio

No se sabe quién construyó estas pirámides ni cuántos años tienen, pero sí se ha descubierto que las rocas que las forman son piedras lávicas, seguramente provienen del volcán Teide, que domina la isla de Tenerife y que, además la montaña más alta de España.

Las pirámides de Güímar

Son un conjunto de cinco pirámides muy parecidas arquitectónicamente a otras pirámides de Egipto, Mesopotamia, Sicilia o Sudamérica. Su estructura es escalonada y están orientadas astronómicamente: señalan la salida del Sol el día del solsticio de invierno y la puesta del Sol el día del solsticio de verano. El hecho de su orientación a los solsticios hace que se piense que puedan ser templos antiguos, aunque no hay ninguna prueba real de esto.

Los guanches

También hay quien defiende que los guanches, antiguos pobladores de la isla antes de la conquista española, vivieron en una cueva debajo de una de las pirámides. Pero otros investigadores afirman que estas pirámides no tienen más de 200 años y que las formaron los agricultores al sacar las piedras de sus campos de cultivo. Sea como sea, el misterio de las pirámides de Güímar... ¡sigue sin resolver!

El Museo Egipcio de Barcelona

El Museo

¡También en Barcelona podéis sentiros durante unas horas como en el Antiguo Egipto! Si queréis vivir la magia de la época de los faraones, dad un paseo por el Museo Egipcio. Está situado en el corazón de la ciudad y cuenta con más de 2000 m2 distribuidos en tres salas de espacio museístico, una sala dedicada a las exposiciones temporales, una biblioteca y aulas de

Iniciativas

Una de las iniciativas más interesantes del Museo son sus cursos y seminarios, así como su Escuela de Egiptología, donde se imparten estudios de grado superior en egiptología.

El fondo de la colección privada del museo está formado por alrededor de mil piezas que acercan al visitante a la vida y las costumbres de la antigua

Exposiciones

En la sala de exposiciones temporales podréis visitar una gran variedad temática de exposiciones que tienen el propósito de dar a conocer muchos de los aspectos de la vida en el antiguo Egipto. Algunas de estas exposiciones temporales han sido: Sarcófagos del Antiguo Egipto. Jardineros de Amon en el Valle de las Reinas, Palabras divinas. De los jeroglíficos a la egiptología y Damas del Nilo. Mujeres y Diosas del Antiguo Egipto.

Expediciones culturales

Por si todo esto no fuera suficiente, se organizan expediciones culturales como complemento a los programas de estudios.

Se realizan viajes a Egipto, Siria, Israel...para poder estudiar in situ el legado de las más antiguas y misteriosas civilizaciones.

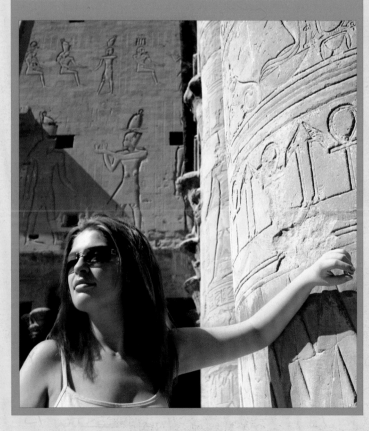

Test Final

1 Di si las siguientes frases son verdaderas (V) o falsas (F):

	V	F
La historia se sitúa en el Antiguo Egipto.	☐	☑
1 Carmen es una chica de 14 años que estudia en el instituto.	☑	☐
2 Un día van de excursión al Museo Arqueológico.	☐	☐
3 Carmen tiene en casa un escarabajo egipcio con un bulto en la cabeza.	☐	☐
4 El escarabajo es un antiguo recuerdo de familia.	☐	☐
5 La profesora Rivera es la sustituta del profesor de educación física.	☐	☐
6 Unos malhechores secuestran al profesor Blanco.	☐	☐
7 Cuando desaparece su escarabajo, Carmen sospecha de la profesora Rivera.	☐	☐
8 Carmen no necesita la ayuda de su hermano.	☐	☐
9 Carmen y su hermano descubren donde han escondido al profesor de historia.	☐	☐
10 Esteban sale en los periódicos por haber ayudado a salvar al profesor Blanco.	☐	☐
11 Carmen descubre que el escarabajo con el bulto está escondido debajo de una cama del hotel Torres.	☐	☐
12 Las autoridades del Cairo invitan a Carmen y a toda su familia a pasar unos días en Egipto.	☐	☐

2 ¿Puedes imaginar un final diferente para la historia de Carmen? Escríbelo en 30 ó 40 palabras.

Programa de Estudios

Temas
La educación secundaria
Relaciones familiares
Relaciones en el instituto
Las novelas de misterio
La egiptología
El diario personal

Contenidos
Presente de verbos regulares e irregulares
Imperativo afirmativo y negativo de verbos
regulares e irregulares
Futuro Imperfecto
Pretérito Perfecto
Pretérito Indefinido
Ser/ estar/ hay
Tener que + Infinitivo
Condicional con "si" + presente
Adjetivos
Adverbios
Conectores
Vocabulario
Superlativos absolutos

Destrezas
Hablar de la rutina diaria establecer comparaciones
Pedir favores, dar órdenes y consejos
Hacer predicciones
Narrar acciones pasadas
Describir objetos, lugares y sucesos
Describir necesidades inmediatas
Expresar condiciones
Expresar obligación
Expresar probabilidad

Lecturas **ELi** Adolescentes